CB035416

Desorientais

Alice Ruiz S

DESORIENTAIS

haikais

ILUMINURAS

Capa:
Fê

Dados Internacionais de Catalogação na Publicação (CIP)
(Câmara Brasileira do Livro, SP, Brasil)

Ruiz S., Alice

Desorientais: haikais / Alice Ruiz S. –
1. ed. [7ª reimpressão] – São Paulo: Iluminuras, 2013.

ISBN 85-7321-039-7

1. Haicai 2. Poesia brasileira 1. Título.
06-1968 CDD-869.91

Índices para catálogo sistemático:
1. Poesia haicai: Literatura brasileira 869.91

2020
Editora Iluminuras ltda.
Rua Inácio Pereira da Rocha, 389 - 05432-011 - São Paulo - SP - Brasil
Tel./ Fax: 55 11 3031-6161
iluminuras@iluminuras.com.br
www.iluminuras.com.br

ÍNDICE

ELA

Conheci melhor Alice Ruiz e Paulo Leminski na altura de 1987, quando fui fazer em Curitiba uma palestra do curso "Os sentidos da paixão". Eles tinham lindas filhas Áurea e Estrela e linda casa. A casa tinha algo de polonesa, que eu não sei mais o que é (talvez seja apenas a memória da imagem de Alice na janela de uma outra casa no filme *Vida e sangue de polaco*, de Silvio Back), mas tinha também uma transparência de haikai. Como se uma habitação da velha Europa camponesa ganhasse no seu *design*, ou melhor, no seu desígnio interior uma respiração oriental. E na qual a eventual desordem guardasse a elegância aérea de coisas tocadas pelo vento, junto à chama do fogo doméstico e os sinais, visíveis à luz do dia, das noites de trabalho e de inspiração febris.

Paulo me mostrou vários haikais da série "Desarranjos florais", inclusive aquele que veio a fechar o livro *Distraídos venceremos*:

tudo claro
ainda não era o dia
era apenas o raio

(a pequena janela de vidro no alto da parede da sala era seguramente a tela real e visionária — na qual um lampejo de tempestade, no lapso de alguma madrugada, apareceu num clicar de olho como dia fora de hora).

No lançamento de *Caprichos e relaxos*, em 1983, tínhamos nos encontrado rápida e turbulentamente. Era num circo montado no meio da Cidade Universitária da USP, com show de Moraes Moreira. Paulo me dedicou o livro fazendo um círculo em torno da polonaise de Adam Mickiewicz, que ele traduzira ("Choveram-me lágrimas limpas, ininterruptas"). Éramos ambos polacos de pai e brasileiros de mãe, mas eu ainda não sabia — ele sim — que um outro círculo nos unia aos três, eu, ele e Alice: termos conhecido o que é perder um menino, o meu, Daniel, o deles, Miguel Ângelo (São Miguel Arcanjo: santo de devoção polaca, arcanjo apocalíptico que "luta com o demônio sem ofendê-lo").

Levei de Curitiba o gosto de vodka com sushi, o olé espanhol de Alice Ruiz, e seu poema:

sem luto
pelo obsoleto
só
  ab
    so
      luto

Começo assim este prefácio sobre ela falando deles neste livro de eus, elos e eros. Posso fazer isso porque sei o que os une e o que os distingue. Há pouco tempo ela se congratulou comigo porque viu que na minha estante os livros dos dois não aparecem vizinhos e casados, mas em lugares próprios, poetas entre poetas.

Mas o fato é que se criou no Paraná — e esse Paraná a que me refiro é a casa deles — uma dicção de poesia que une o rigor ao humor, que combina lances de ambição com momentos de desconfiômetro, que contempla ordens de grandezas e de pequenezas, catataus e vice-versos, caprichos e relaxos. O haikai aclimatado à tradição coloquial da poesia moderna brasileira tornou-se a pedra de toque desse jeito de ser que exige ao mesmo tempo concentração e descontração. Atenção minimal à intensidade do instante pleno e vazio, e também piscada de olho para o outro, e para o nada. Um haikai que contracena todo o tempo com pessoas, e que é por isso mesmo, como explica Alice na abertura deste livro, tão ou mais desoriental que oriental.

De volta à São Paulo, mandei para eles um cartão postal que eu tinha trazido da Polônia: desenho de uma dança camponesa em que homem e mulher se enlaçam pela cintura, mas cada um com o rosto voltado para a direção oposta à do parceiro, num simétrico torneio de pescoços. Um casal de vice-versas, e os sentidos contraditórios da paixão: algo dizia vagamente que eles se separariam, mas só porque não tem onde caiba (como na contradança de Tristão com Isolda?).

No cartão postal, um meta-haikai de brincadeira para cada um. O dele:

tudo claro
não ainda o dia
mas o haikai

O dela:

haikai:
tomara que caia
o raio

Lembro um poema de Décio Pignatari, também quase um haikai, mesmo que não intencional, sobre *la famme:* “elle s’offre / elle s’ouvre / elle souffre”. Do qual poderíamos ensaiar uma tradução livre e capenga para o gênero masculino: "ele sabe de sobra / ele se abre / ele se obra".

Sempre penso nessas diferenças da escrita masculina e feminina, nunca definitivas nem obrigatórias, mas tão tendenciais e inequívocas. O homem narcisado na sua própria construção macro e microcósmica: do romance à sílaba perseguidor épico-irônico e lírico da perfeição e da totalidade. A mulher narcisada na dor da incompletude, lançando ao homem o raio da sedução que é ao mesmo tempo dádiva e grito de socorro, capaz de incendiar e de queimar tudo.

Os primeiros livros de Alice trazem no próprio título a marca desse movimento: *Paixão xama paixão* e *Navalhanaliga.* Como o tomara que caia, a "navalha na liga" é um adereço fálico à beira da nudez, arma de defesa e de ataque, fio da navalha entre a afronta e a entrega. Essa ambiguidade flutuando entre a cumplicidade e o disfarce está habilmente (de)flagrada em alguns poemas de Alice, como este de *Paixão xama paixão:*

perto do alvo
longe de mim
a ideia de atirar

Ou quem sabe sugerida nesse jogo floral de golpes de artifício, contido em *Pelos pelos:*

a ikebana kamikaze
pratica harakiri
para virar haikai

Desorientais depura essa e outras linhas da poesia de Alice Ruiz. Alguns poemas do negaceio amoroso e do seu potencial sutilmente explosivo estão contidos na terceira parte do livro, que recebe o nome de "Eros":

> ia sendo
> não fosse entre nós
> o extintor de incêndio

cuja contrapartida pode ser:

> na escala do voo
> arisca, calei você
> era proibido soltar faísca

Além desses, os grandes pequenos encontros desencontros do real e do desejo ("palmas para tua\minha alma / por pouco eram corpo / e calma"), da engatilhada espera ("por você / eu esperava / por mim não"), da memória desprotegida ("rede ao vento / se torce de saudade / sem você dentro"), dos elos e duelos do eu e do outro ("desacerto / entre nós / só et ceteras"), matéria levíssima desses haikais de "Eros" ("pernas e braços / dando um laço / na lembrança").

Na primeira parte do livro, "Eus", há um haikai que alude ainda, muito velada e sutilmente, ao segredo feminino, apenas indicado na solidão espelhada e no rubor partilhado com a mais antiga aliada:

> velha lua
> ao ver-me a vê-la
> vermelha

Mas, vindo de trás para adiante, paro um pouco na segunda parte do livro, "Eles elas elos", que contém referências e reverências aos múltiplos jeitos de ser das pessoas:

pensar letras
sentir palavras
a alma cheia de dedos

Escolho para representar essa parte do livro o haikai para Itamar Assumpção, por ser ele um elo poético privilegiado com Alice, parceiro em tantas canções ("a cada milágrimas um milagre"). Para confirmar que há uma gaia ciência paranaense, quero lembrar de cor, aqui, a pérola de Itamar para Leminski, na morte deste:

alô Paulo, é Beleléu
não fui ao enterro teu
também não irás no meu
estamos quites, adeus

Admiro tanto esta agudeza de amor e humor, esse "gai saber" de poesia e auto-ironia, na mais íntima e extrema das amizades. E uma dicção algo parecida, mas desta vez no jeito dela, de uma luz transparentemente cálida, que se encontra no poema de Alice em *Vice Versos,* lembrando a morte de Miguel:

11/7

pressupondo que existe
memória na morte
e dentro dela um calendário
feliz aniversário

Não vou falar aqui de outras variantes paranaenses da poesia de Alice Ruiz, como o belo poema sobre o incêndio do templo neo-pitagórico em Curitiba ("Meu templo", *Vice Versos),* ou as considerações herméticas contidas no poema

"Do mirasideráculo", que me impressionou na revista *Anima,* antes de tudo o que eu narrei aqui.

Já é tempo de que eu me dirija ao que penso ser a quintessência de *Desorientais,* e o delicado ponto de convergência deste livro.

Ele está certamente no princípio zen da *grata aceitação.* Aceitação da solidão e aceitação da companhia, do tempo que passa e do tempo que se anuncia, em seus pequenos — e às vezes luminosos — indícios: primeiro vagalume do ano que finda, primeiro único último poema que abre um livro, como todo instante único, primeiro e último, primeira estrela brilhante da véspera virando primavera.

dia que termina
nenhuma pressa
ano que começa

Aceitação da vida curta e da longa noite, troca de dons e intimidades com o grilo que se cala. E com o sapo que espia a porta aberta ao fim do dia. Pequenas interrupções mínimas — abissais, definitivas — e o ar que se move ao "vento nenhum" levado por uma "nuvem de mosquitos".

Nos pequenos grandes excessos e faltas, a grata aceitação compõe, contêm e contemplam a "árvore da felicidade": "folha a mais folha a menos / vai vivendo".

O dom da árvore de haikais está todo nesse *a mais* e *a menos,* nas sutilíssimas intensidades que se desprendem do que falta e do que sobra na leveza do instante:

flamboyant na saída
metade flor
metade despedida

Ou nesse quase nada que faz toda a diferença:

flor de estrada
um pouco mais de vento
flor na estrada

Assim também o cinza arde subitamente em rosa Azaléia, enquanto "dentro do jardim / o dia chega *mais cedo* / ao fim", a "lua *quase cheia* / por trás das nuvens / nos olhos do cão", e "varal vazio / *um só fio* / lua ao meio": coisas cambiantes tocadas de leve pelo pouco, pelo quase, pelo menos — ganham um algo a mais quase indizível.

Às vezes é a hora de colher a discreta fartura:

tantos outonos
em uma paisagem
chuva nos pinheiros

Ou então:

voltando pra casa
uma legião de painas
por companhia

Há ainda e sempre aquele saldo negativo que sobrevém ao excedente, como lucro gratuito:

fim de tarde
depois do trovão
o silêncio é maior

afinal, as grandezas grandes e pequenas se entendem:

entre uma estrela
e um vagalume
o sol se põe

Correndo por fora, algo me comove na mais profunda superfície do ser:

lesma no vidro
procura uma sombra
que seja ela mesma

(até onde vai essa busca — aqui tão insignificante e sem paradeiro — de que alguma coisa coincida em si, mesmo que fosse a aparência com a aparência?).

Não preciso dizer que todas essas delicadezas supõem a maestria do peso e do tom de cada sílaba, da hesitação do som e do sentido, sem pesar a mão no excesso de intenções e nem cair na facilitação dos efeitos. Alice tornou-se generosa estimulante mestra de tudo isso, e nos últimos anos, com suas oficinas de haikais, espalhou benefícios do ofício em muitas cidades brasileiras.

Maior honraria: mereceu dos haijins de Curitiba o nome poético de Yuuka. Um oriente ao desoriente do desoriente.

Penso em mim comigo: a poesia de Alice cresceu, desde que ela teve que ficar à distância de Paulo. A dele também: ó enigma sem mistério!

Prefácio que termina. Para o livro que começa, grato silêncio augural.

José Miguel Wisnik
São Paulo, outono de 96

desorientais por que: não existiriam sem as pessoas e toda sua complexidade, ao contrário dos orientais feitos apenas com a simplicidade das coisas.

são versos feitos para, com e por causa desse outro, onde o eu aparece, impregnado de nós, ao contrário dos orientais, onde o eu se retira para que tudo seja apenas como é.

e apesar disso se esforçam para falar das coisas, como elas são, e nesse esforço se desorientam mas (como a luz precisa do escuro) na desorientação se orientam.

por assim dizer, como se fosse um pôr de sol,
um quase tanka
outros haikais

A.R.S

EUS

primeiro vagalume
assim começa
o fim do ano

tarde cinza
toda azaleia
arde em rosa

primeira estrela Vésper
véspera do que se espera
vira primavera

crows and clouds
flying and dancing
for the scarecrow only

fim do dia
porta aberta
o sapo espia

minha casa
o sapo já sabe
entrar e sair

amigo grilo
sua vida foi curta
minha noite vai ser longa

se interrompe
pela última vez
o cri do grilo

nuvem de mosquitos
o ar se move
vento nenhum

meio dia
dormem ao sol
menino e melancias

mosquito morto
sobre poemas
asas e penas

árvore da felicidade
folha a mais folha a menos
vai vivendo

sombra da luz
na lua e na rua
alvo do lago

sono profundo
coberta de neblina
minha cidade

luz envolta
por um véu fino
fio de neblina

dentro do jardim
o dia chega mais cedo
ao fim

coberto de flor
cresce o flamboyant
até o chão

flamboyant na saída
metade flor
metade despedida

lua quase cheia
por trás das nuvens
nos olhos do cão

varal vazio
um só fio
lua ao meio

tantos outonos
em uma paisagem
chuva nos pinheiros

indo ou voltando
as painas da estrada
sempre se inclinam

voltando pra casa
uma legião de painas
por companhia

silêncio de folhas
bananeira secando
à beira da estrada

fim de tarde
depois do trovão
o silencio é maior

jardim sem flor
entre as páginas do livro
a rosa e sua cor

folha seca
sobre o travesseiro
acorda borboleta

entre velhas páginas
uma folha ainda verde
da casa antiga

apaga a luz
antes de amanhecer
um vagalume

vento seco
entre os bambus
barulho d'água

entre uma estrela
e um vagalume
o sol se põe

lesma no vidro
procura uma sombra
que seja ela mesma

noite escura
a lesma na porta
guarda a casa

janela que se abre
o gato não sabe
se vai ou voa

velha lua
ao ver-me a vê-la
vermelha

o amarelo sai do céu
e corre ao vento
outono dentro

flor de estrada
um pouco mais de vento
flor na estrada

sob o sombrero
o vento e as folhas
fazem amor

travesseiro novo
primeiras confissões
a historia do antigo

dia que termina
nenhuma pressa
ano que começa

manhã de sol
na lembrança
o som da chuva

Renga da noite

noite escura
de luz a luz
nenhuma dúvida

ontem hoje amanhã
trabalho pra madrugada
noites tardes manhãs

noite no mato
o cheiro de açucena
é nosso lume

noite de verão
escrevendo vento
eu e o vento

noite de verão
vem com a brisa
um cheiro de primavera

noite no escuro
pensando que era barata
matei o vagalume

noite cheia
lua minguante
meu quarto crescente

Renga de estrelas

estrelas, planctons
quem imita quem
vagalume?

estrela cadente
te peço
não seja um vagalume

noite de estrelas
cidade ao longe
quem brilha mais?

a noite desce
o coração da terra
germina estrelas

longo-longo dia
até as estrelas
parecem cansadas

céu do norte
leitoso de estrelas
um sol na terra

vagalumes isolados
por um instante
luz lado a lado

aos haijins das oficinas

À beira do insuportável
essa qualidade rara
ser insubordinável

p/ Fred Maia

longe do que digo
minha velha saca de arroz
contém trigo

p/ Alexandre Brito

pensar letras
sentir palavras
a alma cheia de dedos

p/ Itamar Assumpção

cai a tarde
flor no pessegueiro
cai o inverno

p/ João Virmond

voltando com amigos
o mesmo caminho
é mais curto

Antonina

velhos amigos
depois da despedida
continuam andando juntos

p/ Seto e Koji

o menino me ensina
como um velho sábio
o quanto sou menina

p/ Octávio Lokshin

tem cacófato que é funcional
afinal, às vezes,
o coração também gagueja

p/ Reinaldo Jardim

cidade no quadro
refletida no vidro
a floresta

p/ Leila Pugnaloni

borboletas no palco
tiraram essa noite
para dançar

p/ Teresa Souza e Valter Santos

Ribeirão Preto
onde se ouve
cheiro de vagalume

aos haijins de lá

felicidade
todos os sentidos
num só leque

p/ Nanci Neves

no céu, minguante
na água, cheia
cresce lua nova

p/ Turiba

lâmina d'água
entre amigos
nenhuma lágrima

p/ Martins Vaz

o avião
apenas vai
quem voa sou eu

p/ Ricardo Silvestrin

tanta poesia no gesto
nenhum poema
o diria

p/ Alexi Leão

céu todo cinza
longe o arco-íris
salta aos olhos

p/ Sulika

na despedida
encontro de guarda-chuvas
água nos olhos

haijins de Sta. Maria

gosto de inverno
o cheiro das glicínias
lembra agosto

aos 14 anos

céu e mar cinza
barcos ancoram
todas as cores

p/ Margareth Guadalupe Alves

menina estrela
à beira do mar
persegue a lua

olhos verde cana
cabelos cor de mel
doce de menina

olhos de ver Venus
mesmo fechados
cintilam verdes

p/ Estrela Ruiz Leminski

noite fria
na sopa da filha
o calor da mãe

para teu sono
uma canção de ninar
da chuva e do mar

p/ Áurea Alice Leminski

ESTRELAUREA

a um passo do passado
teus traços
presente do futuro

roubaram a casa
as moscas ficaram
às moscas

c/ Áurea

dia de sol
sem sombra de dúvida
só o caracol

c/ Retamozo

começo de noite
o branco da Azaléia
acende

c/ Anna Alice

pôr do sol
no entreato
pão para os patos

pensou
não dança mais
dançou

preto e prata
cabelo ao vento
o galo acende a manhã

c/ Alexi

raio, vagalume
primeira estrela
uma noite cheia

pedrinhas de gelo
nesse calor
chuva também é amor

lá o sol vai
ali a lua vem
e você nem isso

dente de leite
marfim
e começo de gente

até onde a vista alcança
tudo pertinho
a quilômetros de distância

c/ Estrela

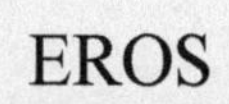

EROS

Suíte dos namorados

no vidro a lua
na lua a árvore
dia dos namorados

dia dos namorados
a lua sozinha
e toda cheia

dia dos namorados
a página cheia
do branco da lua

palmas para tua\ minha alma
por pouco eram corpo
e calma

o relógio marca
48 horas sem te ver
sei lá quantas para te esquecer

lembra aquele beijo
corpo alma e mente?
pois eu esqueci completamente

dentro do sono
o corpo se descobre
sem dono

por você eu ia
onde o cavalo olhava
por mim eu cavalgava

outra vida chamando
enquanto essa se vai
desassombrando

por você
eu esperava
por mim não

disse até a vista
mas estava escrito
a longo prazo

você deixou tudo a tua cara
só pra deixar tudo
com cara de saudade

rede ao vento
se torce de saudade
sem você dentro

ia sendo
não fosse entre nós
o extintor de incêndio

teu sol
me dis-sol-vendo
até minha raiz

na escala do voo
arisca, calei você
era proibido soltar faísca

passei o dia com teu céu
lá fora choveu
em mim fez sol

atravessando o túnel
teu desejo
me atravessa

pernas e braços
dando um laço
na lembrança

quem ri quando goza
é poesia
até quando é prosa

gesto antigo
gostar de você
parecer comigo

desacerto
entre nós
só et ceteras

circuluar
sonho ímpar
acordo par

assombrada por você
minha sombra
se esconde de mim

poeira ao vento
nem bem veio
ficou dentro

cereja agridoce
o que tiver de ser
você seja

sêde a sede do meu ser
cesse a minha sede
de ceder

dançamos em pensamento
a dança dos anos
que nos devemos

ônus do abandono
foi um bando que me deixou
sem dono

não fique confuso
muso de alguma obra-prima
pode ser tudo amor
                à rima

TANKA

peixe pulsando
na mão
que ao mar te devolve

ainda que você me deixe
viver nos move

SOBRE A AUTORA

Poeta, letrista, tradutora, publicitária, professora de haikai. Nasceu e vive em Curitiba, Paraná.

Publicou os livros de poemas: *Navalhanaliga,* 1980, *Paixão xama Paixão,* 1983, *Pelos Pelos,* 1984, *Rimagens* (com Leila Pugnaloni), 1985, *Hai Tropikai* (com Paulo Leminski), 1985 e *Vice Versos,* 1988, pelo qual recebeu o prêmio Jaboti em 1989.

Publicou também uma história infantil, vários livros de tradução de poesia além de constar em várias antologias.

Tem parcerias musicais com Itamar Assumpção, Arnaldo Antunes, José Miguel Wisnik, Alzira Espíndola, Chico César e Waltal Branco, entre outros.

Alguns Títulos da
Coleção Poesia

ALUMBRAMENTOS
Maria Lúcia Dal Farra

A DIVA NO DIVÃ
Luciana Sadalla de Ávila

AOS PÉS DE BATMAN
Joaquim Paiva

DO OBJETO ÚTIL
Moacir Amâncio

DOIS EM UM
Alice Ruiz S

FIGURANTES
Sérgio Medeiros

FIGURAS NA SALA
Moacir Amâncio

SOLARIUM
Rodrigo Garcia Lopes

Este livro foi composto em Times pela Iluminuras e terminou de ser impresso em 2020 nas oficinas da *Meta Solutions*, em Cotia, SP, em papel off- white 80 gramas.